W9-DGX-792

Para Amaya, rendidamente
Para Diana, en la carretera
César

Quetzalcóatl
Dios de dioses

Yo soy Quetzalcóatl y, cuando terminé de quemarme, vieron viajar mi corazón rumbo a lo más alto del cielo. Así me convertí en la estrella que brilla al alba.

Tonacatecuhtli, mi padre, y Tonacacíhuatl, mi madre, fueron los Grandes Dioses de la Creación. Ellos fueron los primeros y más poderosos habitantes del universo. Les bastó un enorme soplido para partir el cielo y dividirlo en dos.

En ese acto de poder nacimos los cuatro hermanos, los cuatro dioses.
Nuestros corazones tenían un color distinto.

Mi hermano Xipe Tótec era el Rojo; Huitzilopochtli, el Azul;
Tezcatlipoca, el Negro, y el Blanco, yo.

Mi padre nos encomendó la tarea de crear el mundo. Teníamos
tres misiones: primero, crear la tierra porque todo era mar,
excepto el pequeño fragmento de terreno donde habitábamos
nosotros; segundo, había que darle vida a otros dioses, y,
por último, debíamos formar un sol que alumbrara el mundo y
que diera vida a la raza humana para que nos adoraran.

En el fondo del mar vivía una criatura gigantesca, terrible,
tan poderosa que nuestro padre nunca pudo derrotarla. Tenía
cuerpo de dragón y cabeza de cocodrilo; era la bestia más voraz
que se pueda imaginar. Su nombre era Cipactli. Para poder crear el
mundo, tendríamos que acabar con ella.

—¿Cómo lograremos derrotarla si ni siquiera nuestro padre pudo invadir los dominios de Cipactli? —cuestionó Rojo.

—Algún punto débil debe tener —dijo Negro.

—Mi padre me dijo que la única manera de vencerla era lograr que sacara su enorme cabeza fuera del mar; que tendríamos unos pocos instantes para atraparla y degollarla, porque siempre está hambrienta y lista para devorar a sus presas —repuse yo.

—Por eso nuestro padre no se atrevía a acercarse: no podía hacerlo solo. Como el hermano mayor, dispongo que Blanco y yo seamos quienes la enfrentemos. He pensado en una estrategia, aunque ello signifique un enorme sacrificio para mí —dijo Negro.

Emprendimos el camino rumbo al único acantilado. Negro agachaba
la cabeza y daba pasos rápidos, firmes. Yo lo seguía.
Pocos metros antes de llegar, le pregunté:

—¿Cómo acabaremos con Cipactli exactamente?

—Tú serás quien logre cortarle la cabeza de cocodrilo.

—¿Pretendes que me arroje al mar sin más arma que este macuahuitl?

—No se trata de un simple macuahuitl: en él tienes el arma más poderosa
que jamás haya existido. Estas armas son las únicas capaces de penetrar
en la gruesa y dura piel de Cipactli.

A la orilla del mar, Negro se quedó pensativo; miró al cielo y suspiró.
Levantó con lentitud su pierna izquierda, la flexionó, subió el brazo
derecho lo más alto que pudo y dejó caer con fuerza el macuahuitl
sobre su tobillo. Tomó su pie y lo arrojó al agua. Sabía que la bestia
no tardaría en llegar. La sangre comenzó a pintar de rojo el mar...
Nos preparamos para la batalla.

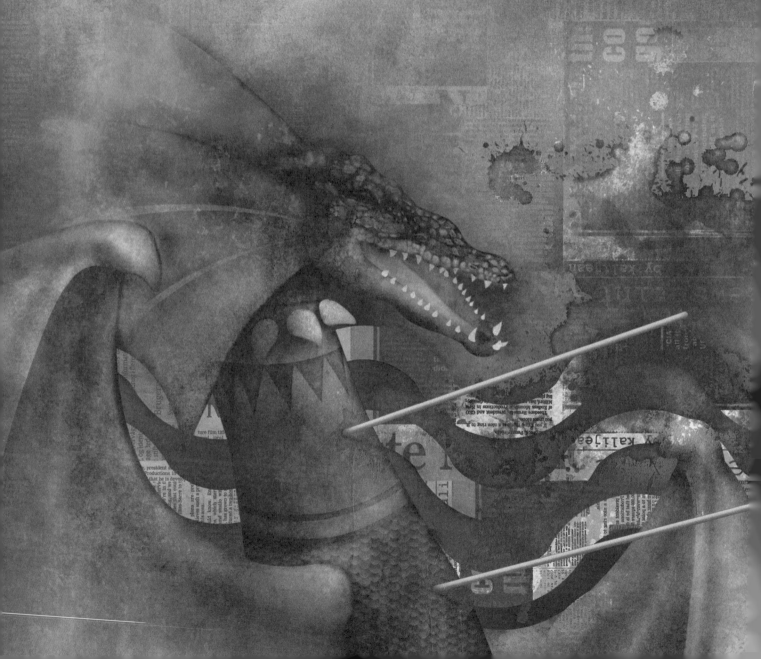

En unos instantes apareció la hambrienta Cipactli. Le habíamos tendido
una trampa mortal. Esperamos a que sacara medio cuerpo del mar,
suficiente para llegar hasta donde estábamos e intentar devorarnos.
Saltamos sobre ella.

Negro comenzó a lastimarla: el dragón-cocodrilo se retorcía de dolor.
Yo logré clavarle mi arma en el pescuezo y Negro en la parte media del
cuerpo. La sangre ya era mucha. Empuñé mi macuahuitl de una manera
más feroz, tomé fuerzas, corrí hasta ella y la herí de muerte.

Partimos a la mitad el cuerpo de Cipactli y lo estiramos hasta formar los cuatro puntos cardinales de la tierra. Completamos así la primera misión.

El mundo ya podía ser habitado, pero seguía sumido en las tinieblas.

—Padre, hemos dado cumplimiento a la primera de tus órdenes. Ahora indícanos a mí y a mis hermanos lo que debemos hacer para crear a los dioses.

—Negro, el mayor de mis hijos, has perdido uno de tus pies, pero tu sacrificio ha resultado tal y como lo planeaste. La tuya es la primera ofrenda de sangre obsequiada a los dioses para crear el mundo. Blanco, has demostrado ser un gran dios y un verdadero guerrero digno de esta estirpe.

Todos nosotros habíamos gestado el mundo, pero las batallas no habían terminado.

—Blanco —continuó mi padre—, tendrás más desafíos que pondrán a prueba tu valentía, tu arrojo y tu vida. Negro y tú han destruido a Cipactli pero el mundo sigue vacío y en tinieblas. Su segunda misión hubiera sido crear a los dioses, pero esta vez será cumplida por mí, en reconocimiento a su valentía y por haber logrado lo que yo no pude hacer.

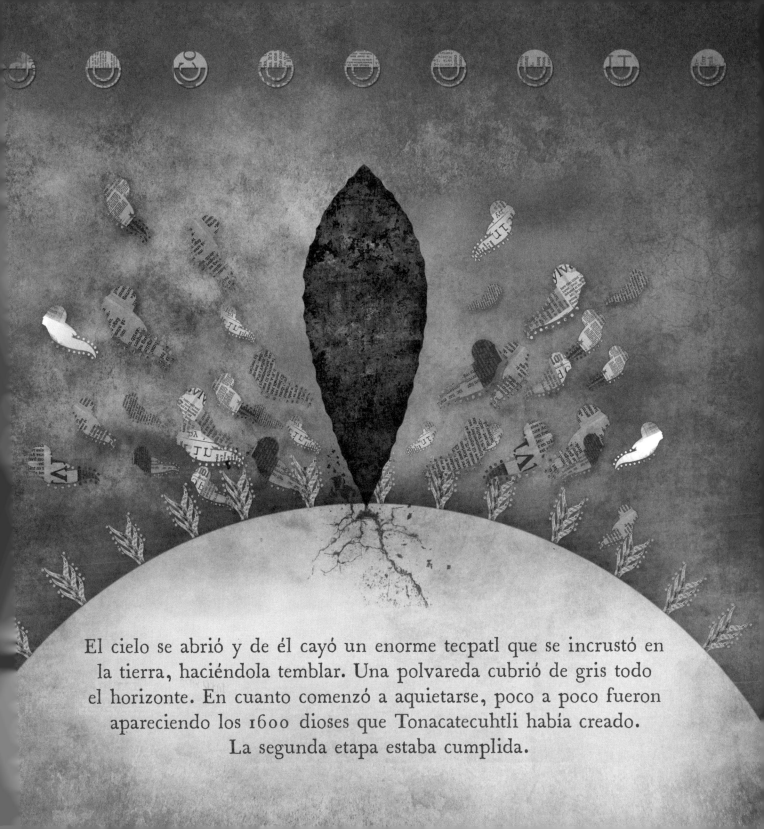

El cielo se abrió y de él cayó un enorme tecpatl que se incrustó en
la tierra, haciéndola temblar. Una polvareda cubrió de gris todo
el horizonte. En cuanto comenzó a aquietarse, poco a poco fueron
apareciendo los 1600 dioses que Tonacatecuhtli había creado.
La segunda etapa estaba cumplida.

Con la llegada de los dioses, sólo nos faltaba la tercera misión,
quizá la más complicada: la creación de un sol que daría vida a los
seres humanos y que ordenaría el día y la noche.

—Blanco, hijo mío, para crear a los hombres y a las mujeres necesitarás
de los huesos preciosos de tu padre y tu madre. Te los entrego.

Nos reunimos los cuatro hermanos para determinar qué tipo de sol
crearíamos. Decidimos hacerlo de agua y de él salieron seres diminutos
que se nos escapaban entre las manos y se convertían en peces. No había
resultado como lo esperábamos, pero no podíamos darnos por vencidos
tan pronto, así que nos reunimos nuevamente.

Nuestro segundo astro fue un sol-jaguar, del que nacieron hombres de barro, grandes y torpes en sus movimientos: tropezaban y chocaban entre ellos, deformándose y deshaciéndose. Así nacieron los cerros, los montes y las montañas.

En nuestro tercer intento decidimos crear un sol-viento, y esta vez los seres humanos fueron de maíz. Eran perfectos y, por ello, soberbios: se negaron a adorar a los dioses así que los convertimos en monos. El siguiente fue el sol-lluvia. De él surgieron hombres de maíz otra vez, pero ahora con corazón... demasiado grande: eran seres muy buenos pero improductivos, así que los transformamos en guajolotes. Nada nos funcionaba.

—Blanco, debes aceptar que hemos fracasado —confesó Azul.
—Es momento de darnos por vencidos y entregar los huesos a
Mictlantecuhtli, dios y señor del Mictlán, donde habitan los
muertos —propuso Rojo.
—Así no caeremos nuevamente en la tentación de crear al hombre,
pues no podremos entrar al Mictlán por ellos —sostuvo Negro.

Todo parecía perdido, así que mis hermanos descendieron al mundo de los muertos para entregar los huesos preciosos. ¿Qué le iba yo a decir a mi padre? ¿Que estaba derrotado? ¿Acaso no era yo un dios poderoso? No, yo tenía que recuperar los huesos y yo mismo debía hacer el intento de crear a los seres humanos.

Entonces bajé al Mictlán.

—Mictlantecuhtli, te ruego que me devuelvas los huesos de mis padres.

—Quetzalcóatl, gran serpiente emplumada, tú terminaste con Cipactli con la ayuda de tu hermano. Podrás tomar los huesos de regreso, pero esta vez tendrás que enfrentarte a los nueve niveles del inframundo solo. En la región más oscura hallarás lo que buscas. Te advierto una cosa: tu vida está en peligro.

La faena parecía imposible. Tenía que pasar por ocho niveles: el de los perros que ayudaban a quienes los quisieron en vida, o desollaban a mordidas a quienes los habían despreciado; el de las montañas que se cerraban y abrían para aplastarte; el de la montaña con cuchillos de jade que despellejaban al escalarla; el lugar del hielo, donde es fácil morir congelado; el del desierto con cuchillos voladores que atacaban de frente; el de las manos invisibles que lanzaban saetas para atravesar tu cuerpo; el de las bestias que partían tu cuerpo en dos para devorar tu corazón; el de la neblina que te cegaba por completo. Uno a uno los pasé, y de cada victoria salía aún más fortalecido. En el noveno, su dios me estaba aguardando.

—Has superado todas las pruebas, hijo de Tonacatecuhtli. Pero no te entregaré los huesos aún. Te falta un último reto: tendrás que sacar música de este caracol.

Al tomar el caracol, me di cuenta de que estaba completamente sellado; no tenía un solo orificio por donde saliera el aire.

—Mictlantecuhtli, esto es una trampa. Jamás podré crear música con este caracol. ¡Faltaste a tu promesa!

El dios de los muertos rió estruendosamente.

Me sentía derrotado. Bajé la mirada. Entonces noté que el suelo estaba
hecho de gusanos. Me agaché, tomé un puñado de ellos y los verti sobre
el caracol. Eran tantos que rápidamente lograron cavarlo. La trampa
estaba deshecha. Soplé fuertemente y la música emergió. Al señor del
Mictlán no le quedó más remedio que entregarme la recompensa.
Corrí para salir de ahí.
—¡Blanco! ¡Esto no se quedará así, pagarás con tu vida! —retumbaron
los gritos en el Mictlán.

En el camino, a punto de salir, vi volar a unas codornices. Aminoré la marcha; eran hermosas. Fui tras ellas, pensando que me llevarían por un camino más corto a la salida. De repente, mis pies ya no sintieron nada, mi cuerpo comenzó a caer, y caer, y caer... Mictlantecuhtli me había tendido una trampa más. Al final del precipicio, ardía el peor de los fuegos. No tenía salvación.

Yo soy Quetzalcóatl y, cuando terminé de quemarme, vieron viajar mi corazón rumbo a lo más alto del cielo. Así me convertí en la estrella que brilla al alba.

El tiempo no se detuvo, y cuando abrí los ojos estaba en un lugar desconocido.

—Hijo, has despertado. Mictlantecuhtli te derrotó, ahora estás en el más alto de los cielos.

—Padre, no me dejes entrar, te he fallado. No soy digno de estar aquí: he muerto.

—Así es, pero demostraste ser el más valiente y tenaz de mis hijos. Como recompensa renacerás para ser el sol. Te serán entregados los huesos y los harás polvo. Los mezclarás con tu propia sangre y crearás a los hombres que poblarán el mundo y nos adorarán.

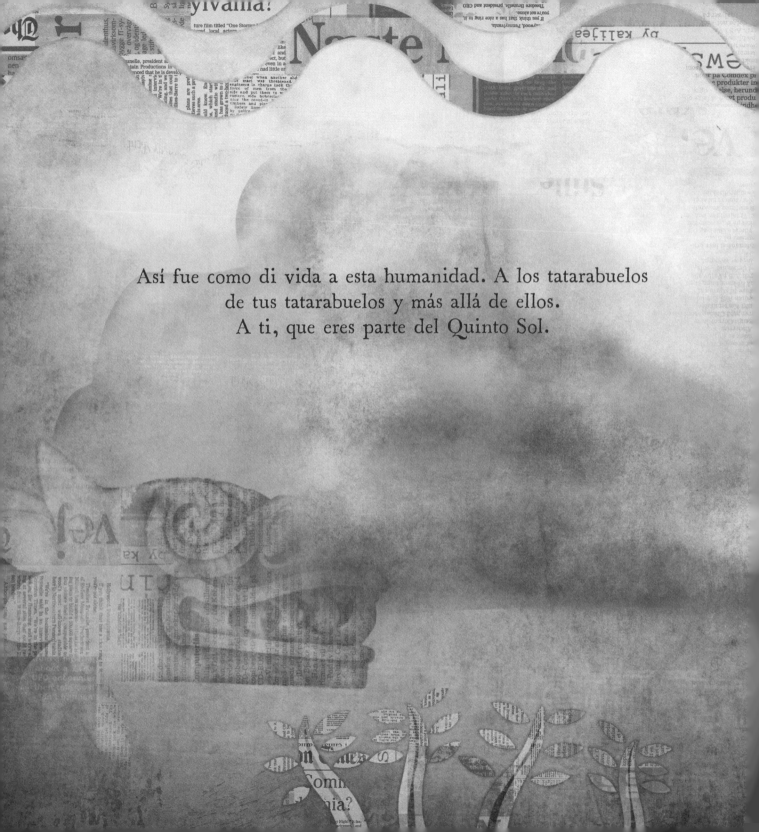

Así fue como di vida a esta humanidad. A los tatarabuelos
de tus tatarabuelos y más allá de ellos.
A ti, que eres parte del Quinto Sol.

Autor: **César Gutiérrez Morales**
Ilustraciones: **Ángel Campos Frías**
Dirección editorial: **Nathalie Armella Spitalier**
Asesoría editorial: **Pablo De María**
Asistente de redacción: **Natalia Ramos Garay**
Diseño editorial: **Emmanuel Hernández López**

Quetzalcóatl
Dios de dioses

Tomo 4 de la colección *Axolotl*.

Esta obra se terminó de editar en el mes de abril de 2014.

© CACCIANI, S.A. de C.V.
Prol. Calle 18 N° 254
Col. San Pedro de los Pinos
01180 México, D.F.
+52 (55) 5273 2397 / +52 (55) 5273 2229
contacto@fundacionarmella.org
www.fundacionarmella.org

ISBN: 978-607-8187-77-5

De la misma colección:

AXOLOTL

FC>S

Xochiquetzal y Popoca
La leyenda de los volcanes

Juan Carlos Melgar y Aleida Ocegueda

FC>S

Coatlicue
Madre del Sol, la Luna y las estrellas

Juan Carlos Melgar y Sharon Barcs

FC>S

Pakal y la Reina Roja
La memoria de los reyes

César Gutiérrez y Natalia Gurovich

FC>S

Tenochtitlan
El camino hacia un Imperio

Nathalie Armella y Adriana Campos

FC>S